Lesefreunde 4

Das kann ich schon

Portfolio-Heft

978 3 464 802946
W0019211

Name:

VOLK UND WISSEN

Lese-Steckbrief

am Anfang des Schuljahres 20_____ / 20_____

Das lese ich zurzeit am liebsten:

☐ Freundschaftsgeschichten	☐ Zeitschriften
☐ Bücher über Tiere	☐ Gedichte
☐ Krimis / Gruselbücher	☐ Comics
☐ Abenteuergeschichten	☐ Sachbücher
☐ Fantasy-Romane	☐ Witze
☐ _____	☐ _____

Meine Lieblingsbücher am Anfang des Schuljahres:

_____

_____

_____

Ich mag gerne:

☐ Bücher	☐ verfilmte Bücher
☐ Hörbücher	☐ Buchreihen
☐ E-Books	
☐ Texte von einer Autorin/einem Autor,	

z.B. _____

Datum: _____

Leseliebling

Gold-Medaille für:

Titel: _____, S. _____

Autor/-in: _____

Begründung: _____

_____

_____

Lesetraining: zusammengehörende Informationen im Text finden

So kann ich das schon:

noch unsicher	1	2	3	4	5	6	7	8	9	10	sehr sicher

Das möchte ich noch üben:

_____

_____

_____

Lesebilanz ► auf Seite 12/13 eintragen

Meine Unterschrift: _____

Im Herbst

Datum: _____

Leseliebling

Gold-Medaille für:

Titel: _____ , S. _____

Autor/-in: _____

Begründung: _____

_____

_____

Lesetraining: einen Text zum Vorlesen vorbereiten,
das Vorlesen einüben und einschätzen

So kann ich das schon:

noch unsicher	1	2	3	4	5	6	7	8	9	10	sehr sicher

Das möchte ich noch üben:

_____

_____

_____

Lesebilanz ► auf Seite 12/13 eintragen

Meine Unterschrift: _____

Meine Wünsche und Träume

Datum: _____

Leseliebling
Gold-Medaille für:

Titel: _____ , S. _____

Autor/-in: _____

Begründung: _____

_____

_____

Lesetraining: Gedanken über einen Text austauschen

So kann ich das schon:

noch unsicher	1	2	3	4	5	6	7	8	9	10	sehr sicher

Das möchte ich noch üben:

_____

_____

_____

Lesebilanz ► auf Seite 12/13 eintragen

Meine Unterschrift: _____

Miteinander leben

Leseliebling

Gold-Medaille für:

Datum: _____

Titel: _____ , S. _____

Autor/-in: _____

Begründung: _____

_____

_____

Lesetraining: ein Buch mithilfe einer Leserolle vorstellen

So kann ich das schon:

noch unsicher	1	2	3	4	5	6	7	8	9	10	sehr sicher

Das möchte ich noch üben:

_____

_____

_____

Lesebilanz ▸ auf Seite 12/13 eintragen

Meine Unterschrift: _____

Datum: _____

Leseliebling

Gold-Medaille für:

Titel: _____ , S. _____

Autor/-in: _____

Begründung: _____

_____

_____

Lesetraining: einen Text mit wörtlicher Rede vortragen

So kann ich das schon:

noch unsicher	1	2	3	4	5	6	7	8	9	10	sehr sicher

Das möchte ich noch üben:

_____

_____

_____

Lesebilanz ► auf Seite 12/13 eintragen

Meine Unterschrift: _____

Von Tieren und Menschen

Leseliebling
Gold-Medaille für:

Datum: _____

Titel: _____, S. _____

Autor/-in: _____

Begründung: _____

_____

_____

Lesetraining: sich etwas zum genauen Lesen
aussuchen

So kann ich das schon:

noch unsicher	1	2	3	4	5	6	7	8	9	10	sehr sicher

Das möchte ich noch üben:

_____

_____

_____

Lesebilanz ► auf Seite 12/13 eintragen

Meine Unterschrift: _____

Datum: _____

Leseliebling

Gold-Medaille für:

Titel: _____ , S. _____

Autor/-in: _____

Begründung: _____

_____

_____

Lesetraining: Diagramme lesen

So kann ich das schon:

noch unsicher	1	2	3	4	5	6	7	8	9	10	sehr sicher

Das möchte ich noch üben:

_____

_____

_____

Lesebilanz ► auf Seite 12/13 eintragen

Meine Unterschrift: _____

Seltsames und Interessantes

Datum: _____

Leseliebling
Gold-Medaille für:

Titel: _____ , S. _____

Autor/-in: _____

Begründung: _____

_____

_____

Lesetraining: wichtige Aussagen in einem Text erfassen und wiedergeben

So kann ich das schon:

noch unsicher	1	2	3	4	5	6	7	8	9	10	sehr sicher

Das möchte ich noch üben:

_____

_____

_____

Lesebilanz ► auf Seite 12/13 eintragen

Meine Unterschrift: _____

Datum: _____

Leseliebling

Gold-Medaille für:

Titel: _____ , S. _____

Autor/-in: _____

Begründung: _____

_____

_____

Lesetraining: Texte ganz genau lesen

So kann ich das schon:

noch unsicher	1	2	3	4	5	6	7	8	9	10	sehr sicher

Das möchte ich noch üben:

_____

_____

_____

Lesebilanz ► auf Seite 12/13 eintragen

Meine Unterschrift: _____

Meine Lesebilanz

Male für jeden Text, den du im Kapitel gelesen hast,
ein Kästchen in der passenden Spalte aus.

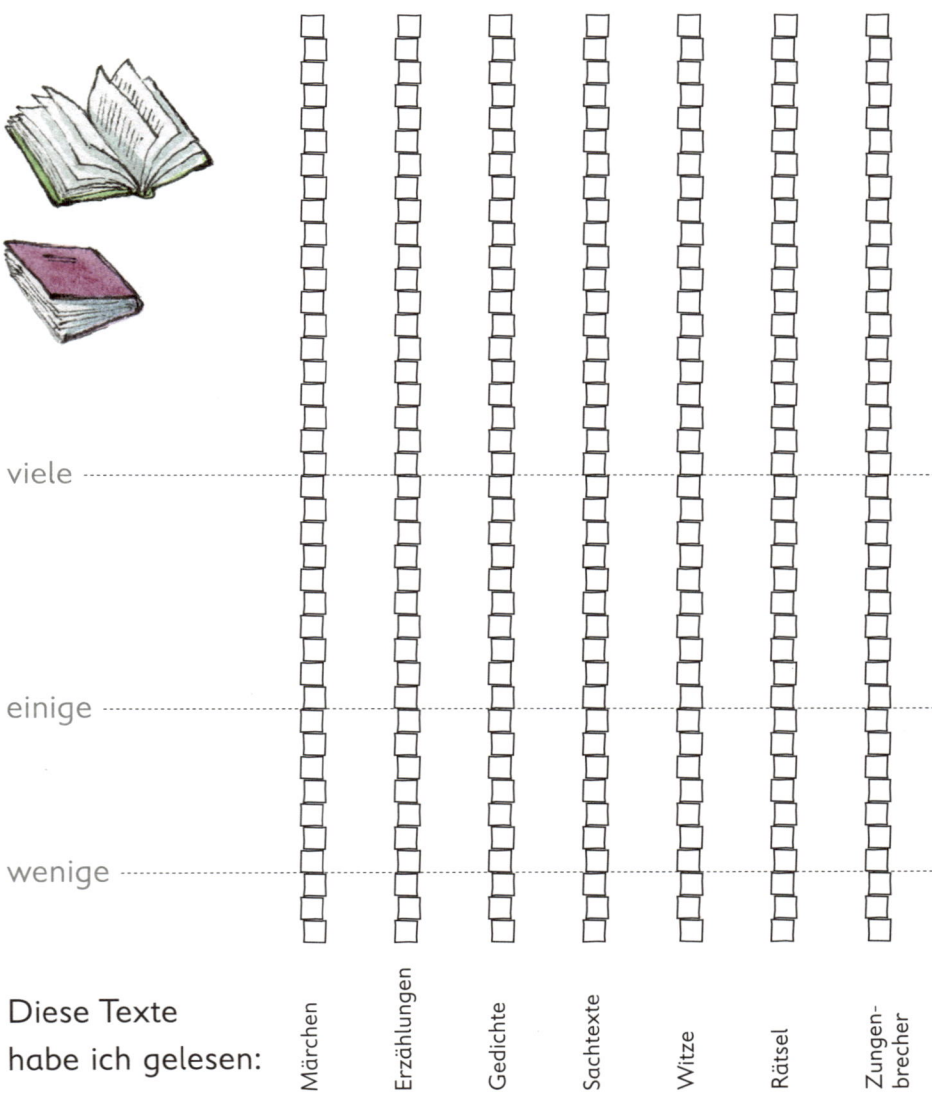

viele

einige

wenige

Diese Texte
habe ich gelesen:

Märchen
Erzählungen
Gedichte
Sachtexte
Witze
Rätsel
Zungen-
brecher

Nimm für jedes Kapitel eine andere Farbe.

Kindertexte

Diagramme

Fabeln

Sagen

Comics

Anleitungen

andere Texte

Datum: _____

Leseliebling
Gold-Medaille für:

Titel: _____, S. _____

Autor/-in: _____

Begründung: _____

_____

_____

Lesetraining: sich in eine Figur hineinversetzen

So kann ich das schon:

noch unsicher	1	2	3	4	5	6	7	8	9	10	sehr sicher

Das möchte ich noch üben:

_____

_____

_____

Lesebilanz ◄ auf Seite 12/13 eintragen

Meine Unterschrift: _____

Datum: _____

Leseliebling

Gold-Medaille für:

Titel: _____ , S. _____

Autor/-in: _____

Begründung: _____

_____

_____

Lesetraining: Angebote einer Tageszeitung nutzen und auswählen

So kann ich das schon:

noch unsicher	1	2	3	4	5	6	7	8	9	10	sehr sicher

Das möchte ich noch üben:

_____

_____

_____

Lesebilanz ◄ auf Seite 12/13 eintragen

Meine Unterschrift: _____

Für Krimiliebhaber und Gruselfans

Datum: _____

Leseliebling

Gold-Medaille für:

Titel: _____ , S. _____

Autor/-in: _____

Begründung: _____

_____

_____

Lesetraining: eine Autorin/einen Autor
mit einem Lapbook vorstellen

So kann ich das schon:

noch unsicher	1	2	3	4	5	6	7	8	9	10	sehr sicher

Das möchte ich noch üben:

_____

_____

_____

Lesebilanz ◄ auf Seite 12/13 eintragen

Meine Unterschrift: _____

Datum: _____

Leseliebling
Gold-Medaille für:

Titel: _____ , S. _____

Autor/-in: _____

Begründung: _____

_____

_____

Lesetraining: mithilfe von Textstellen genau begründen
und erklären

So kann ich das schon:

noch unsicher	1	2	3	4	5	6	7	8	9	10	sehr sicher

Das möchte ich noch üben:

_____

_____

_____

Lesebilanz ◄ auf Seite 12/13 eintragen

Meine Unterschrift: _____

Partnerlesen: Selbsteinschätzung

So ist mir das Partnerlesen gelungen:

Ich kann	den Text flüssig vorlesen	(beinahe) fehlerfrei vorlesen	passende Pausen machen	die Stimme passend einsetzen
S. ____	☆☆☆	☆☆☆	☆☆☆	☆☆☆
S. ____	☆☆☆	☆☆☆	☆☆☆	☆☆☆
S. ____	☆☆☆	☆☆☆	☆☆☆	☆☆☆
S. ____	☆☆☆	☆☆☆	☆☆☆	☆☆☆
S. ____	☆☆☆	☆☆☆	☆☆☆	☆☆☆
S. ____	☆☆☆	☆☆☆	☆☆☆	☆☆☆
S. ____	☆☆☆	☆☆☆	☆☆☆	☆☆☆
S. ____	☆☆☆	☆☆☆	☆☆☆	☆☆☆
S. ____	☆☆☆	☆☆☆	☆☆☆	☆☆☆
S. ____	☆☆☆	☆☆☆	☆☆☆	☆☆☆
S. ____	☆☆☆	☆☆☆	☆☆☆	☆☆☆
S. ____	☆☆☆	☆☆☆	☆☆☆	☆☆☆
S. ____	☆☆☆	☆☆☆	☆☆☆	☆☆☆

Partnerlesen: Partnereinschätzung

So ist dir das Partnerlesen gelungen:

Du kannst	den Text flüssig vorlesen	(beinahe) fehlerfrei vorlesen	passende Pausen machen	die Stimme passend einsetzen	Kürzel
S. _____	☆☆☆	☆☆☆	☆☆☆	☆☆☆	
S. _____	☆☆☆	☆☆☆	☆☆☆	☆☆☆	
S. _____	☆☆☆	☆☆☆	☆☆☆	☆☆☆	
S. _____	☆☆☆	☆☆☆	☆☆☆	☆☆☆	
S. _____	☆☆☆	☆☆☆	☆☆☆	☆☆☆	
S. _____	☆☆☆	☆☆☆	☆☆☆	☆☆☆	
S. _____	☆☆☆	☆☆☆	☆☆☆	☆☆☆	
S. _____	☆☆☆	☆☆☆	☆☆☆	☆☆☆	
S. _____	☆☆☆	☆☆☆	☆☆☆	☆☆☆	
S. _____	☆☆☆	☆☆☆	☆☆☆	☆☆☆	
S. _____	☆☆☆	☆☆☆	☆☆☆	☆☆☆	
S. _____	☆☆☆	☆☆☆	☆☆☆	☆☆☆	
S. _____	☆☆☆	☆☆☆	☆☆☆	☆☆☆	

Glossar-Wörter zum Einrahmen

Dieses Glossar-Wort ist mir wichtig:

_____

Das bedeutet dieses Wort:

Dieses Glossar-Wort finde ich z.B. auf S. _____.

Dieses Glossar-Wort ist mir wichtig:

_____

Das bedeutet dieses Wort:

Dieses Glossar-Wort finde ich z.B. auf S. _____.

Dieses Glossar-Wort ist mir wichtig:

_____

Das bedeutet dieses Wort:

Dieses Glossar-Wort finde ich z.B. auf S. _____.

Dieses Glossar-Wort ist mir wichtig:

_____

Das bedeutet dieses Wort:

Dieses Glossar-Wort finde ich z.B. auf S. _____.

Texte lesen und verstehen
mit dem Lesefaden

Was hat dir besonders geholfen
oder was hast du gern genutzt?

Diese Schritte des Lesefadens nutze ich:	häufig	selten
vor dem Lesen — 1. Nach dem Lesen der Überschrift und dem Betrachten von Bildern überlege ich, worum es im Text vermutlich geht.		
2. Ich lese langsam und genau und kann sagen, worum es im Text geht.		
während des Lesens — 3. Ich suche Wörter oder Textstellen heraus, die ich nicht verstanden habe, und kläre sie: • Ich lese im Text nach und betrachte die Illustrationen genau. • Ich lese im Lexikon/Internet nach. • Ich frage nach.		
4. Ich schreibe wichtige Stellen des Textes heraus.		
nach dem Lesen — 5. Ich gebe den Inhalt des Textes mithilfe meiner Notizen wieder.		

Dieser Schritt hilft mir besonders:

Lese-Steckbrief

Vergleiche mit Seite 2.

am Ende des Schuljahres 20_____ /20_____

Das lese ich zurzeit am liebsten:

- [ ] Freundschaftsgeschichten
- [ ] Bücher über Tiere
- [ ] Krimis/Gruselbücher
- [ ] Abenteuergeschichten
- [ ] Fantasy-Romane
- [ ] _____

- [ ] Zeitschriften
- [ ] Gedichte
- [ ] Comics
- [ ] Sachbücher
- [ ] Witze
- [ ] _____

Meine Lieblingsbücher am Ende des Schuljahres:

_____

_____

_____

Ich mag gerne:

- [ ] Bücher
- [ ] Hörbücher
- [ ] E-Books
- [ ] Texte von einer Autorin/einem Autor,

- [ ] verfilmte Bücher
- [ ] Buchreihen

z.B. _____

Ein Brief von meiner Lehrerin/meinem Lehrer

Liebe(r) _____ ,

herzlichen Glückwunsch: In diesem Schuljahr hast du
weitere Fortschritte beim Lesen machen können.
Dein *Lesefreunde*-Lesebuch hat dich dabei begleitet.

Besonders ist mir aufgefallen, dass du _____
_____ . Das freut mich.

Beim Partnerlesen konnte ich beobachten, dass du

_____

_____ .

Die Aufgaben zum Lesetraining _____

_____

_____ .

Für die Ferien habe ich folgenden Lese-Tipp für dich:

Schöne Ferien wünscht dir

_____